VACANCES

Éditions
Lito

ISBN 978-2-244-47863-0

Texte de Ann Rocard
Illustrations de Louis Alloing

100 %
100 pour 100 LOISIRS

DEVINETTES pour
S'AMUSER en VACANCES

Que fait le facteur quand il est de **mauvaise humeur** ?

R IL PREND TOUT AU PIED DE LA LETTRE.

À quoi reconnaît-on le passage d'un rhinocéros dans un réfrigérateur ?

R AUX TRACES DE PAS DANS LE BEURRE.

Quelle est la ville préférée du naufragé ?
LILLE (L'ÎLE).

Quel est le fruit que les poissons n'aiment pas ?
LA PÊCHE.

Que fait la couturière quand elle n'est pas contente ?
ELLE PIQUE UNE COLÈRE.

Quelle ressemblance y a-t-il entre un jeune enfant et un charcutier ?
ILS FONT TOUS LES DEUX DES PÂTÉS.

QUELLE RESSEMBLANCE Y A-T-IL ENTRE UN CHIEN ET UN ORDINATEUR ?

R ILS ONT TOUS LES DEUX DES PUCES.

Quel est le rêve du serrurier ?

Dès que tu prononces mon nom,
je me brise. Qui suis-je ?
Le silence.

Quel est l'instrument de musique
dont on ne se sert qu'à la fin
d'une soirée ?
La cithare (si tard).

Pourquoi les agriculteurs
ne se bagarrent-ils pas ?
Parce qu'ils sèment (ils s'aiment).

Trouver la clé du mystère.

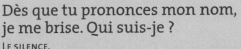

Quelle est la ville italienne
la plus ancienne ?
MILAN (MILLE ANS).

Monsieur Time est banquier.
Quel est son prénom ?
VINCENT, CAR VINCENT TIME (VINGT CENTIMES).

Quel est l'instrument de musique
qui rêve de vivre dans une bibliothèque ?
LA LYRE (LIRE).

Quelles sont les lettres les plus rapides ?
T - G - V.

Une souris et un éléphant courent
dans le désert. La souris se retourne.
Que dit-elle ?
« QU'EST-CE QU'ON FAIT COMME POUSSIÈRE ! »

Pourquoi les Français portent-ils
des bretelles bleu blanc rouge ?
POUR TENIR LEUR PANTALON.

De quoi un ordinateur a-t-il
le plus peur ?
DE PERDRE LA MÉMOIRE.

Monsieur Masse est jardinier.

Quel est le prénom de sa femme ?

R AMÉLIE, CAR AMÉLIE MASSE
(AH ! MES LIMACES !).

Combien de personnes peut-on mettre dans une cabine de téléphone vide ?
UNE, PARCE QU'APRÈS LA CABINE N'EST PLUS VIDE.

Quel est le pied qui ne met jamais de chaussure ?
LE PIED DE NEZ.

Quel est le rêve de l'astronaute ?

Quelles sont les lettres préférées des bébés ?
T - T (TÉTÉE).

Comment quatre éléphants montent-ils dans une voiture ?
DEUX DEVANT ET DEUX DERRIÈRE.

Est-ce que tu as déjà vu une vache dans un pommier ?
NON ? ELLE ÉTAIT BIEN CACHÉE ALORS !

R C'EST D'ÊTRE DANS LA LUNE.

Pourquoi la lune
ne change-t-elle pas
de couleur ?

PARCE QU'ON NE PEUT PAS L'ATTEINDRE À LA MAIN
(LA TEINDRE À LA MAIN).

Qu'est-ce qui fait 999 fois tic
et 1 fois toc ?

UN MILLE-PATTES AVEC UNE JAMBE DE BOIS.

Dans quel métier faut-il être « toqué »
pour réussir ?

CUISINIER, POUR PORTER UNE TOQUE.

Comment les gorilles traversent-ils les rivières

R EN SAUTANT DE NÉNUPHAR EN NÉNUPHAR

QUAND UN MARTIEN
NE PREND-IL PAS SA SOUCOUPE VOLANTE
POUR SORTIR DE CHEZ LUI ?

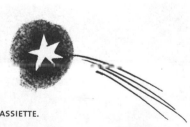

R QUAND IL N'EST PAS DANS SON ASSIETTE.

17

Pourquoi les flamants roses se grattent-ils le bec avec une seule patte ?
PARCE QUE S'ILS SE GRATTAIENT AVEC LES DEUX PATTES, ILS TOMBERAIENT.

Avec qui une marionnettiste rêve-t-elle de se marier ?
AVEC UN MARI HONNÊTE (MARIONNETTE).

On peut m'enlever une lettre ou toutes mes lettres, je suis toujours pareil. Qui suis-je ?
LE FACTEUR.

Quand est-il risqué d'être treize à table ?
QUAND IL N'Y A À MANGER QUE POUR DOUZE.

DEUX PUCES SORTENT DU CINÉMA.
« ON RENTRE À PIED ? » DEMANDE

Quelle est la ville où les meuniers
rêvent de s'installer ?
MOULINS.

Monsieur Itik se présente aux élections
présidentielles. Comment s'appelle-t-il ?
PAUL, CAR PAUL ITIK (POLITIQUE).

Comment peut-on marcher
sans toucher terre ?
EN METTANT SES CHAUSSURES.

mière. QUE répond la SECONDE ?

Pourquoi les élèves aimeraient-ils vivre au Moyen Âge ?

Lundi 5 Mars 1012

R POUR AVOIR MOINS D'HISTOIRE DE FRANCE À APPRENDRE

Quel est l'animal qui peut sauter plus haut que la tour Eiffel ?

Tous, puisque la tour Eiffel ne saute pas.

Quelle différence y a-t-il entre un chewing-gum et un avion ?

Un chewing-gum colle et un avion décolle.

Quelles sont les lettres qu'on ne voit pas ?

F - A - C (effacées).

Quelle est l'étoile la plus proche de la Terre ?

L'étoile de mer.

Comment reconnaître un écureuil d'une brosse à dents ?

Tu les mets tous les deux au pied d'un arbre et celui qui grimpe, c'est l'écureuil !

Quel est le coquillage dont il faut se méfier ?

Le couteau.

Quel message secret Hervé envoie-t-il à Hélène pour lui déclarer son amour ?

R - V - M - L - N (HERVÉ AIME HÉLÈNE).

Quelle différence y a-t-il entre la lettre « i » et un clocher ?

LE « I » C'EST LA VOYELLE ET LE CLOCHER C'EST LA CONSONNE (LÀ QU'ON SONNE).

Comment voit-on qu'une brosse à dents est en colère ?

QUAND ELLE EST DE MAUVAIS POIL.

Quel est le comble pour une souris ?

C'EST D'AVOIR UN CHAT DANS LA GORGE.

Quelle est la fleur la plus inquiète ?

LE SOUCI.

Quel est l'arbre qui travaille ?

LE BOULEAU (BOULOT).

ourquoi les éléphants sont-ils GRIS ?

R POUR QU'ON NE LES CONFONDE PAS AVEC LES FRAISES DES BOIS.

Que dit le zébu après avoir bu un verre de grenadine ?

R « QUAND Z'AI BU, Z'AI PLUS SOIF ! »

24

Monsieur Assin
: un chasseur
de sangliers.
Comment
s'appelle-t-il ?

R MARC, CAR MARC ASSIN (MARCASSIN).

Quel est l'animal qui a trois bosses ?
UN CHAMEAU QUI EST TOMBÉ DANS UN ESCALIER.

Pourquoi les Anglais et les Français
marchent-ils main dans la main ?
PARCE QU'ILS ONT UNE MANCHE EN COMMUN.

Une araignée et un pou font la course.
Qui arrive le premier ?
LE POU, CAR IL EST TOUJOURS EN TÊTE.

Qu'est-ce qui fait tic-tac et
qui est tout blanc ?
UN RÉVEIL QUI EST TOMBÉ DANS LA FARINE.

Pourquoi les poules traversent-elles devant les voitures ?

R POUR ALLER DE L'AUTRE CÔTÉ DE LA RUE.

De quoi le maçon a-t-il peur ?
DU BÉTON ARMÉ.

Quelle est la lettre la plus tranchante ?
LA LETTRE H (HACHE).

Quel est le comble pour une histoire
de sirène ?
C'EST DE FINIR EN QUEUE DE POISSON.

Que préfère monsieur Écureuil
chez madame Écureuil ?
SES PETITS YEUX NOISETTE.

QUEL EMPEREUR ROMAIN AURAIT PU
REMPLACER POINCARÉ, UN DES PRÉSIDENTS
DE LA RÉPUBLIQUE FRANÇAISE ?

R CICÉRON, CAR SI C'EST ROND, C'EST POINT CARRÉ (POINCARÉ).

Pourquoi les Gaulois portaient-ils des gants ?

Parce qu'ils n'aimaient pas l'air aux mains (les Romains).

Quelle est la fleur qui réfléchit tout le temps ?

La pensée.

Monsieur Mordu a un chien minuscule. Pourquoi accroche-t-il une pancarte « Attention au chien ! » à la porte de sa maison ?

Parce qu'il a peur qu'on marche sur son chien.

Quelle est la région française qui n'est pas menteuse ?

La Franche-Comté.

Quelle différence y a-t-il entre la Loire et le loir ?

La Loire ne quitte pas son lit, mais elle ne dort jamais comme un loir.

**COMMENT FAIT
UN HIPPOPOTAME
POUR DESCENDRE
D'UN POMMIER ?**

R IL ATTEND L'AUTOMNE ET FAIT SEMBLANT D'ÊTRE UNE POMME MÛRE.

29

Quelle différence
y a-t-il entre
un marin
et un boucher ?

Monsieur Mauve est fabricant de bonbons. Quel est son prénom ?
GUY, CAR GUY MAUVE (GUIMAUVE).

De quoi une clé n'a-t-elle jamais peur ?
D'ÊTRE MISE À LA PORTE.

Quelle est la ville qui rugit ?
LYON (LION).

Pourquoi l'étudiant travaille-t-il la nuit ?
POUR METTRE SON TRAVAIL À JOUR.

Quel est le gâteau détesté du balayeur des rues ?
LE MILLE-FEUILLES.

Monsieur et madame Delune ont une fille. Comment s'appelle-t-elle ?
CLAIRE, CAR CLAIRE DELUNE (CLAIR DE LUNE).

LE MARIN VOIT LES CÔTES AVANT LE PORT ;
LE BOUCHER VOIT LE PORC AVANT LES CÔTES.

À qui cela porte-t-il malheur de croiser un chat **noir** ?

R À UNE SOURIS, TOUT SIMPLEMENT.

Quel est le cauchemar du coiffeur ?

R C'EST DE COUPER LES CHEVEUX EN QUA

Quel est l'animal qui ne tient pas en place ?

C'est plus chic !

R L'ARAIGNÉE, CAR ELLE EST TOUJOURS EN TRAIN DE FILER.

Au cours d'une épreuve sportive, quel est le clou du spectacle ?
LE LANCER DU MARTEAU.

De quoi le mathématicien a-t-il peur ?
D'AVOIR LA TÊTE AU CARRÉ.

Quel est le fruit qui parle le mieux ?
L'AVOCAT.

Quel est le coquillage le plus léger ?
LA PALOURDE (PAS LOURDE).

Pourquoi les requins-marteaux s'ennuient-ils ?
PARCE QU'IL N'Y A PAS DE REQUINS-CLOUS DANS LA MER.

Quel est le poisson le plus drôle ?
LE POISSON-CLOWN.

Pourquoi les savants ont-ils
des trous de mémoire ?
PARCE QU'ILS SE CREUSENT TROP LA TÊTE.

De quoi le vampire a-t-il peur ?
DE PERDRE SON SANG-FROID.

Quel est l'objet préféré du cachalot ?
LE PARAPLUIE, CAR IL A DES BALEINES.

Quel est le prénom de monsieur Hochon
qui ne supporte pas les oreillers ?
PAUL, CAR PAUL HOCHON (POLOCHON).

Monsieur et madame Tine vendent des
fruits. Comment s'appelle leur fils ?
CLÉMENT, CAR CLÉMENT TINE (CLÉMENTINE).

Quelle ressemblance
y a-t-il entre la maîtresse
et un thermomètre ?
ON TREMBLE QUAND ILS MARQUENT ZÉRO.

Quel est le jour le plus savant
de l'année ?
LE 7 AOÛT (SAIT TOUT).

À quoi rêve l'apiculteur ?

R De partir en lune de miel.

Quelle île, en France, n'est pas entourée d'eau ?

R L'ÎLE-DE-FRANCE.

Qu'est-ce qui avale plus de choses qu'une autruche ?
DEUX AUTRUCHES.

Quel est le poisson le plus sportif ?
LA PERCHE.

Quel est le comble pour un maçon ?
C'EST DE DEVOIR FAIRE LE MUR POUR SORTIR DE CHEZ LUI.

De quoi le marchand de fruits a-t-il horreur ?
D'ÊTRE TRAITÉ DE « BONNE POIRE ».

Qui peut voyager nuit et jour sans quitter son lit ?
LA RIVIÈRE.

Quel est l'animal qui se fait un sang d'encre ?
LA PIEUVRE (CAR ELLE PEUT ENVOYER UN JET D'ENCRE).

Quelle ressemblance y a-t-il entre un citron et un voleur qui se fait prendre ?

R ILS ONT TOUS LES DEUX DES PÉPINS

Qu'est-ce qui est grand le matin,
petit à midi et grand de nouveau le soir ?
L'OMBRE.

Quelle est la ville préférée du Père Noël ?
RENNES.

Qui ne mord jamais, malgré
ses nombreuses dents ?
LE PEIGNE.

QUE FAIT UN CAVALIER QUAND IL EST FATIGUÉ ?

R IL MET UNE SELLE DANS SA SOUPE ET DU SEL SUR SON CHEVAL.

Quel est le poisson le plus rapide

 R LE TURBOT.

Quel est l'animal qui ne comprend jamais rien ?

R La grenouille car elle répète tout le temps :
« Coa ? Coa ? Coa ? » (Quoi ? Quoi ? Quoi ?).

Comment peut-on passer tout entier dans un anneau ?

On écrit « tout entier » sur un morceau de papier et on fait passer le papier dans l'anneau.

Quelle est la ville qui ne dit pas la vérité ?

Le Mans (ment).

Quel est l'arbre le plus souple ?

LE PEUPLIER (PEUT PLIER).

Que craignent les enfants d'un papa bricoleur ?

DE SE FAIRE SERRER LA VIS PAR LEUR PÈRE.

Quel est le comble pour un étourdi ?

C'EST DE TÉLÉPHONER À SON VOISIN POUR LUI DEMANDER SON NUMÉRO.

Quel est l'arbre qui ne meurt jamais ?

L'ARBRE GÉNÉALOGIQUE.

Pourquoi les Indiens ne portent-ils pas de vêtements ?

R PARCE QUE CHRISTOPHE COLOMB LES A DÉCOUVERTS.

Qui a des trous partout, mais ne laisse jamais passer l'eau ?

R L'ÉPONGE.

**Quelle ressemblance
y a-t-il entre un mur
et quelqu'un qui a perdu
ses clés ?**

R ILS FONT TOUS LES DEUX LE TOUR DE LA MAISON SANS Y ENTRER.

Avec un « **a** »,
je suis une grenouille ;
avec un « **e** »,
je suis une pomme.
Qui suis-je ?

R LA RAINETTE (GRENOUILLE) OU LA REINETTE (POMME).

À la campagne, quels sont
les endroits les plus heureux ?
LES PRAIRIES (PRÉS RIENT).

Quelle est la fleur qui cache
deux prénoms féminins ?
LA VALÉRIANE (VALÉRIE, ANNE).

Quelles sont les lettres que les enfants
n'aiment pas entendre ?
O - B - I - C (OBÉISSEZ).

Quand deux murs sont-ils heureux ensemble ?
QUAND ILS ONT TROUVÉ UN BON COIN.

Quel est le comble pour un avion ?
C'EST D'AVOIR UN ANTIVOL.

Quel est l'animal le plus médisant ?
LA VIPÈRE, CAR ELLE A UNE LANGUE DE VIPÈRE.

Quel est l'oiseau qui se laisse sans arrêt duper ?
LE PIGEON.

Quel est l'oiseau le plus heureux ?
LE HIBOU, CAR SA FEMME EST CHOUETTE.

Que craint le bavard qui fait un régime pour maigrir ?
D'ÊTRE OBLIGÉ DE PESER SES MOTS.

Que fait le pire des avares ?
IL ÉCONOMISE SES EFFORTS POUR LES PLACER À LA BANQUE.

Comment fait un éléphant pour traverser un lac gelé sans briser la glace ?

R IL AVANCE SUR LA POINTE DES PATTES.

Quels sont les arbres préférés des fantômes ?

R LES CHÊNES (LES CHAÎNES).

Qui traverse la porte sans jamais
la franchir ?
LE TROU DE LA SERRURE.

Quelle est la note qui se cache dans
un mur et ne dit pas la vérité ?
LE SI, CAR LE SI MENT (CIMENT).

Quel est le poisson préféré du coiffeur ?
LA RAIE.

Quel est le mets préféré du coq ?

R L'ŒUF À LA COQUE.

Just married

Quel est le comble pour un ours

R C'est de s'envoler sur une étoile filante pour rejoindre la Grande Ourse.

Monsieur Tard doit bientôt donner un concert. Connais-tu son prénom ?
Guy, car Guy Tard (guitare).

Pourquoi les aiguilles sont-elles moins intelligentes que les épingles ?
Parce qu'elles n'ont pas de tête.

Dans quel chiffre se cache une ville française ?
Trois (Troyes).

Quel est le comble pour une jument ?
C'est d'avoir une fièvre de cheval.

Quel est le comble pour un boucher-charcutier ?

C'est d'avoir une tête de cochon.

Quel est l'animal qui est à la fois
sec et mouillé ?
La seiche.

Que fait la baleine pour passer
inaperçue ?
Elle se cache à l'eau (cachalot).

Que fait le médecin quand il s'ennuie ?
Il casse ses crayons pour voir s'ils ont bonne mine.

Que craint le champion de judo ?
De devoir se serrer la ceinture.

**Quelle ressemblance
y a-t-il entre un crabe
et un mécanicien ?**

R Ils ont tous les deux des pinces.

Quel est le comble pour un coureur à pied ?

R C'EST DE FAIRE DES PIEDS ET DES MAINS POUR ARRIVER LE PREMIER.

Pourquoi les éléphants portent-ils des lunettes noires

R POUR PASSER INAPERÇUS DANS LA JUNGL

Je dors beaucoup, mais quand je me réveille, je suis toujours dangereux. Qui suis-je ?
LE VOLCAN.

Quelle différence y a-t-il entre une montagne et une chemise ?
LA MONTAGNE EST COLOSSALE ET LA CHEMISE EST SALE AU COL.

Malgré mon nom, je ne miaule pas. Qui suis-je ?
LE CHAS DE L'AIGUILLE.

Quelle ressemblance y a-t-il entre un chien et un canard ?

R LE CHIEN NE CRAINT PAS LE FROID DE CANARD ET LE CANARD SUPPORTE BIEN LE TEMPS DE CHIEN.

Comment la pâtissière appelle-t-elle son bébé ?

R « Mon petit chou ! »

Elle était chaude hier ; elle est froide aujourd'hui. Qu'est-ce que c'est ?
UNE CHAUDIÈRE (CHAUDE HIER) QUI TOMBE EN PANNE.

Quel est le prénom du ferrailleur monsieur Detou ?
IVAN, CAR IVAN DETOU (I' VEND DE TOUT).

Quelle est la salade dont les Gaulois ont horreur ?
LA ROMAINE.

Que se disent deux fantômes quand ils se croisent ?

Quelle est la plante qui se cache dans une lettre de l'alphabet ?
LE THÉ (T).

Quel est le seul chien qui bégaie ?
LE CHOW-CHOW.

Quel est le rêve d'un pâtissier fatigué ?
C'EST DE CHAUSSER SES CHAUSSONS AUX POMMES.

Quel est l'arbre le moins éloigné ?
LE CYPRÈS (SI PRÈS).

Comment le chasseur se couche-t-il ?
EN CHIEN DE FUSIL.

Quel est le rêve du gourmand ?
C'EST DE MANGER DES ÉCLAIRS EN PLEIN ORAGE.

Quelle est la plante la plus magique ?
LE SÉSAME CAR « SÉSAME, OUVRE-TOI ! »

Quelle est l'île préférée des gourmands ?

L'ÎLE FLOTTANTE.

Quel est le comble pour un corbeau ?

Vais me coucher, moi...

R C'EST DE BÂILLER AUX CORNEILLES.

Quel est le meuble qui a un caractère facile ?
LA COMMODE.

Comment peut-on sauter dans l'eau, tout habillé et sans se mouiller ?
ON DESSINE UN O PAR TERRE ET ON SAUTE DEDANS.

Quelle est la lettre que les joueurs aiment bien ?
LA LETTRE D (DÉ).

Qu'est-ce qu'un coiffeur redoute-t-il le plus ?
DE FAIRE TELLEMENT PEUR À SES CLIENTS QUE LEURS CHEVEUX SE DRESSENT SUR LEUR TÊTE.

Crocodile ou alligator?

Devine!

Quelle différence y a-t-il entre un crocodile et un alligator ?

C'EST CAÏMAN LA MÊME CHOSE !

63

Quel est l'arbre qui plaît le plus ?

R LE CHARME

Quel est le comble pour un coq ?
C'EST D'AVOIR LA CHAIR DE POULE.

Quel est le département le plus précieux ?
LA CÔTE-D'OR.

Quelles sont les notes les plus brillantes ?
DO, RÉ (DORÉ).

Quel est le crustacé préféré
des fleuristes ?
LE BOUQUET (GROSSE CREVETTE ROSE).

**Quel est le comble
pour un dromadaire ?**

R C'EST D'AVOIR LA BOSSE DES MATHS.

Que dit un dauphin quand il croise un cachalot ?

R « C'EST ASSEZ ! » (CÉTACÉ)

De quoi la boussole a-t-elle peur ?
DE PERDRE LE NORD.

Il court en se faisant remarquer, mais il n'a pas de jambes. Qu'est-ce que c'est ?
UN BRUIT QUI COURT.

Quelles sont les lettres les plus excitées ?
N - R - V (ÉNERVÉES).

Quelle différence y a-t-il entre un élève malade et une rivière ?
AUCUNE, CAR ILS SUIVENT TOUS LES DEUX LEURS COURS DANS LEURS LITS.

Quelle est la ville préférée du canard ?
CANNES (CANE).

Quel est l'oiseau qui n'a pas toute sa tête ?

R LE FOU DE BASSAN.

Quel est le comb[l

our un pompier ?

...'EST D'ÉTEINDRE UN FEU DE SIGNALISATION.

Quel est le rêve de l'électricien ?
C'EST D'ÊTRE AU COURANT DE TOUT.

Quelle différence y a-t-il entre une fourchette et un canard colvert ?
LA FOURCHETTE EST UN COUVERT ; LE COLVERT A LE COU VERT.

Quels sont les fruits qui ne font pas de bruit ?
LES MÛRES MÛRES (MURMURES).

Quel est l'arbre le plus peureux ?
LE TREMBLE.

Quelle est l'épice qui n'aime pas les marteaux ?
LE CLOU DE GIROFLE.

Quel est le comble pour un paon ?
C'EST DE METTRE DES BÂTONS DANS SA ROUE.

Pourquoi les cigales aiment-elles danser ?
POUR NE PAS AVOIR DE FOURMIS DANS LES PATTES.

Quel est le rêve du dentiste ?
C'EST DE POSER UNE COURONNE À UN ROI.

Que fait un éléphant quand on attaque son petit ?

R IL PREND SA DÉFENSE.

Quelle ressemblance y a-t-il entre un bébé et un mathématicien ?

R ILS JOUENT TOUS LES DEUX AVEC DES CUBES.

De quoi le comptable a-t-il peur ?
DE NE DEVOIR COMPTER QUE SUR LUI-MÊME.

Quelle différence y a-t-il entre le Vésuve et un cerf-volant ?
LE VÉSUVE EST TOUJOURS UN VOLCAN ET LE CERF-VOLANT VOLE QUAND... IL Y A DU VENT.

Quelle est la plante qui ne dit pas la vérité ?
LA MENTHE (MENTENT).

Quelles sont les notes de musique les plus fatiguées ?
DO, DO (DODO).

Que fait un cycl⬭pe inquiet ?

Je vous ai à l'œil !

R IL NE DORT QUE D'UN ŒIL.

Quel est le rêve de l'orage ?

R C'EST D'AVOIR UN COUP DE FOUDRE.

Qu'est-ce qui est vert,
qui monte et qui descend ?
UN PETIT POIS DANS UN ASCENSEUR.

Et qu'est-ce qui est jaune,
qui monte et qui descend ?
UN PETIT POIS EN SURVÊTEMENT JAUNE,
TOUJOURS DANS UN ASCENSEUR !

Que fait la vache quand
elle a un problème ?
ELLE PREND LE TAUREAU PAR LES CORNES.

Quel est le comble pour un bûcheron ?
NE PAS SAVOIR COUPER LA BÛCHE DE NOËL
ET ÊTRE ALLERGIQUE AU CITRON (SIX TRONCS).

Qu'est-ce qui est propre aujourd'hui
et qui ne l'était pas hier ?
LA SALIÈRE (SALE HIER).

Que se disent deux oiseaux
quand ils se rencontrent ?

R « ALLONS PRENDRE UN VER ! »

75

L'agent secret Gérard,
dit Gégé, se trouve
dans une région
nommée «Lomelette».
Quel message secret
envoie-t-il
à son collègue ?

R G-G-R-S-T-O-P-I-D-E-K-C
(GÉGÉ EST RESTÉ AU PAYS DES ŒUFS CASSÉS).

Quel est le rêve du lapin ?

J'ai fait un rêve !

R C'EST D'AVOIR DES OREILLES EN FEUILLES DE CHOU.

Quel est le rêve de la bergère ?
C'EST DE GARDER LES MOUTONS DE LA MER.

Quelle est la plante qui s'est fait mal ?
L'AIL (AÏE !).

Quel est le comble pour un peureux ?
C'EST DE RECULER DEVANT UNE PENDULE QUI AVANCE.

Quel est le rêve du couturier ?
C'EST D'ÊTRE TOUJOURS TIRÉ À QUATRE ÉPINGLES.

Quelles sont les lettres les plus divines ?
D - S (DÉESSE).

Un homme qui a la rougeole tombe dans la mer Noire. Comment en ressort-il ?
TOUT MOUILLÉ !

Quelle est la note qui peut couper ?
SI, CAR ATTENTION AUX DENTS DE SI (DENTS DE SCIE).

Que fait l'alligator quand il est triste ?

R IL VERSE DES LARMES DE CROCODILE.

De quoi les fantômes ont-ils horreur ?

R D'ÊTRE DANS DE BEAUX DRAPS.

Que dit un crabe rouge quand
il croise un crabe vert ?
« SERRONS-NOUS LA PINCE ! »

Pourquoi les tricycles ont-ils trois roues ?
PARCE QUE S'ILS EN AVAIENT DEUX, ON LES APPELLERAIT DES VÉLOS.

Quel arbre fruitier a la tête à l'envers ?
LE POIRIER.

Quel est le chien qui est un peu fou ?
LE DINGO.

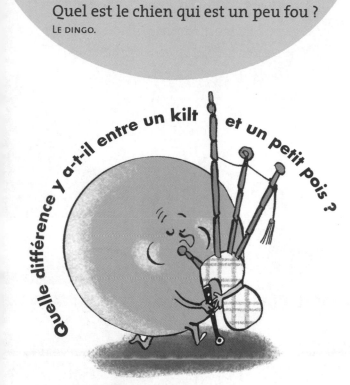

Quelle différence y a-t-il entre un kilt et un petit pois ?

R LE KILT EST ÉCOSSAIS ET LE PETIT POIS EST ÉCOSSÉ.

Quel est l'animal qui s'en va quand il est gai ?
LE GUÉPARD (GAI PART).

Quel est le rêve de la fleuriste ?
C'EST DE RESTER TOUJOURS DANS LA FLEUR DE L'ÂGE.

Quel est le comble de la distraction pour un automobiliste ?
C'EST D'ATTENDRE QUE LE PANNEAU STOP PASSE AU VERT.

Que craint le photographe ?
D'AVOIR LES IDÉES FLOUES.

Quel est le poisson le plus musicien ?

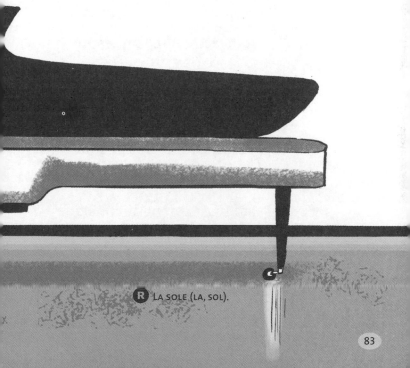

R LA SOLE (LA, SOL).

Pourquoi les courtisans de Louis XIV s'enduisaient-il tout le temps de crème solair...

R POUR ÉVITER LES COUPS DE SOLEIL ! (ON SURNOMME LOUIS XIV LE ROI-SOLEIL.)

Quelle est la lettre que l'on respire ?
R (AIR).

Quelles sont les deux lettres qui se boivent ?
O - T (EAU, THÉ).

Quel est l'instrument de musique qui n'est pas bas ?
LE HAUTBOIS.

Et quel est l'instrument de musique qui n'est pas haut ?
LE BASSON.

Quel est l'instrument de musique qui a la même forme que son nom ?
LE TRIANGLE.

De quoi le cobra a-t-il peur ?

R DE DEVOIR CHANGER DE LUNETTES.
(LE COBRA S'APPELLE AUSSI LE SERPENT À LUNETTES.)

QUELLE DIFFÉRENCE Y A-T-IL ENTRE UNE POUBELLE ET UN COFFRE À LA BANQUE ?

R LA POUBELLE CONTIENT DES ORDURES ET LE COFFRE DE L'OR DUR !

Quand le marchand de légumes
exagère-t-il ?
QUAND IL RACONTE DES SALADES.

Trois lettres de l'alphabet se cachent
dans un récipient. Lesquelles ?
T - I - R (THÉIÈRE).

Quelle est la fleur la plus pressée ?
L'IMPATIENTE.

Quel est l'oiseau qui n'est pas carré ?
LE HÉRON (EST ROND).

Quelle est la plante qui BÊÊÊLE ?

BÊÊÊÊ

R LE CHÈVREFEUILLE.

Quel est l'oiseau qui fait peur ?

R L'EFFRAIE (CHOUETTE).

Quel est l'oiseau qui est toujours enrhumé ?

R L'OISEAU-MOUCHE.

Quelle est la plante
qu'on n'arrose jamais ?
LA PLANTE DES PIEDS.

Quel est l'arbre qui fait des miettes ?
LE PIN (PAIN).

Dans quel nom d'oiseau
se cachent deux animaux ?
LE SERPENTAIRE (SERPENT, PANTHÈRE).

R D'AVOIR DU VAGUE À L'ÂME.

De quoi le marin a-t-il peur ?

Quel est l'oiseau le plus calme ?
LE SERIN (SEREIN).

Comment reconnaît-on un avare
qui est myope ?
C'EST LE SEUL QUI REGARDE PAR-DESSUS SES LUNETTES
POUR NE PAS LES USER.

Si c'est très étroit, qu'est-ce que cela fait ?
ÇA FAIT 22 ! (6 ET 13 ET 3).

Quel est l'oiseau qui se cache
dans une lettre de l'alphabet ?
LE GEAI (G).

Sais-tu pourquoi
les araignées sont
très bavardes ?

R PARCE QU'ELLES SONT TOUJOURS AU BOUT DU FIL.

dans cette collection :

100%
jeux pour s'amuser
en voiture

100%
questions pour
les petits champions

100%
questions pour
toute la famille

100%
pyjama party

100%
quel est le comble ?

100%
mots mêlés

100%
records

100%
histoires drôles

100%
devinettes pour
s'amuser en vacances

100%
humour pour
rigoler à la récré

100%
blagues de toto

100%
jeux pour la récré

100%
mots rigolos

100%
(re) blagues
de toto

100%
devinettes pour
s'amuser entre copains

Lito
41, rue de Verdun 94500 Champigny-sur-Marne
Imprimé en UE
Loi n° 49-956 du 16 juillet 1949 sur les publications destinées à la jeunesse
Dépôt légal : avril 2010